D0714728

LES CONSERVES
ET LES CONFITURES

Recettes faciles

LES ÉDITIONS QUEBECOR
une division de Groupe Quebecor inc.
7, chemin Bates
Bureau 100
Outremont (Québec)
H2V 1A6

© 1992, Les Éditions Quebecor, Lise Paquette
Dépôt légal, 2ᵉ trimestre 1992

Bibliothèque nationale du Québec
Bibliothèque nationale du Canada
ISBN: 2-89089-912-8

Distribution: Québec-Livres

Éditeur: Jacques Simard
Conception de la page couverture: Bernard Langlois
Photo de la couverture: Christian Gaudet
Coordonnatrice à la production: Sylvie Archambault
Infographie: Les Ateliers C.M. inc.

Impression: Imprimerie l'Éclaireur

LES CONSERVES ET LES CONFITURES

Recettes faciles

Lise Paquette

Les Éditions Quebecor

CONSEILS

Voici des recettes originales, parfumées et délicieuses. À vous le bonheur de la découverte de combinaisons délicates et imprévues..., à vous le plaisir de les déguster avec gourmandise et ... retenue.

Les fruits et les légumes doivent être à parfaite maturité. Avec des fruits ou des légumes trop ou pas assez mûrs, il risquerait de se produire des fermentations qui nuiraient à la qualité du produit final.

Soyez très vigilant : choisissez toujours des fruits et des légumes d'excellente qualité, sans aucune tache ni trace suspecte. L'idéal est, bien sûr, de les cueillir soi-même...

Les agrumes dont on utilise la peau doivent être lavés à l'eau tiède et brossés.

Les fruits fragiles , fraises, cerises, groseilles, doivent être lavés avant d'être équeutés pour ne pas se gorger d'eau. Mettez-les dans une passoire en émail ou en matière plastique, au-dessus d'un bol empli d'eau froide. Plongez plusieurs fois la passoire dans l'eau en la secouant, puis laissez tremper 1 mn.; les impuretés retomberont au fond du bol. Recommencez l'opération en changeant l'eau chaque fois, et jusqu'à ce que l'eau soit parfaitement limpide. Après le lavage, laissez égoutter longuement les fruits, puis le pédoncule des fraises, égrappez les groseilles, dénoyautez les cerises.

Les framboises sont les seuls fruits qu'il n'est pas nécessaire de laver. Cependant , si elles semblent poussiéreuses, passez-les rapidement sous l'eau courante dans une passoire.

Il est absolument nécessaire de bien laisser égoutter tous les fruits et les légumes avant de les faire cuire; moins ils ont de l'eau, plus la cuisson est rapide.

LA MISE EN POTS ET L'ENTREPOSAGE

Le choix des pots est simple : ne prenez pas des pots trop grands. Choisissez-les de préférence en verre trempé, ils supporteront mieux la chaleur.

Préparez les pots pendant la cuisson : plongez 2 mn. pots et couvercles dans de l'eau bouillante, puis laissez-les s'égoutter sur un linge ou du papier absorbant. Lorsque le produit est tiède, versez le dans les pots. Ou simplement les mettre au lave-vaisselle.

Si vous utilisez des pots munis d'une rondelle de caoutchouc ou d'un couvercle à vis, aucun problème, fermez-les normalement.

Si vous utilisez des pots sans couvercle, il est bien sûr nécessaire d'empêcher l'air de pénétrer dans le pot; pour cela deux méthodes.

1. Préparez des ronds de cellophane d'un diamètre supérieur de 4 cm à celui du pot, passez un coton humide sur l'une des faces du cercle, posez la face humide sur le pot; sous l'action de la chaleur dégagée par la confiture, le cellophane rétrécit et adhère au bord du pot.

2. Faites fondre de la paraffine à feu doux et versez-la immédiatement sur le produit; elle doit la recouvrir complètement. Laissez-la durcir.

Collez sur chaque pot une étiquette portant le nom du produit et sa date de fabrication.

Entreposez les pots dans un endroit sec, frais et sombre. Ils peuvent se conserver ainsi au moins un an.

LA DENSITÉ DES CONFITURES

Pour évaluer facilement la densité des confitures, des marmelades ou des gelées, voici deux moyens très simples. Mettez, au moment de cuire la confiture, une soucoupe ou un verre empli d'eau dans le congélateur. Lorsque le temps de cuisson indiqué dans la recette est écoulé, laissez tomber une goutte de la préparation sur la soucoupe bien froide.. Si elle fige immédiatement, c'est prêt. De même, plongez une goutte de la préparation dans le verre d'eau froide; s'il se forme une petite boule compacte, arrêter la cuisson. Si ces expériences ne sont pas couronnées de succès, votre confiture a encore trop d'eau et la cuisson doit être prolongée.

L'UTILISATION ET L'IMAGINATION

Il est vrai que les confitures sont particulièrement exquises le matin, au petit déjeuner, sur une tranche de pain légèrement grillé et tartinée de beurre. Mais ne réservez pas les confitures au seul petit déjeuner ou au gouter des enfants. Servez-les avec du fromage blanc, elles remplaceront le sucre avec bonheur. Également, elles peuvent servir de farce à des biscuit que vous pourrez ensuite habiller d'une fine couche de chocolat fondu. Elles accompagnent aussi les crêpes et les buiscuits secs. Pensez plus souvent aux confitures et découvrez leurs mille et une utilisations!

TRANSPARENTES GELÉES

Les gelées sont des préparations à base de jus de fruits, sans trace de pulpe, joliment colorées et transparentes. Elles se font avec des fruits contenants un principe particulier, la pectine; bleuets, fraises, framboises, pommes et agrumes en sont riches. En présence de sucre et sous l'action de la chaleur, la pectine fait épaissir et prendre en gelée le jus extrait de ces fruits. Sans elle, pas de gelée possible.

Pour que la prise en gelée se fasse, il est absolument nécessaire que la préparation ne contienne plus d'eau; ni celle du fruit ni, éventuellement, celle qui a été ajoutée pendant la cuisson. Pour cela, les gelées doivent être cuites.

LA CUISSON DES GELÉES

Une fois le jus recueilli, mesurez le et ajoutez le sucre. Versez ce mélange dans un chaudron, faites fondre le sucre à feu doux, en mélangeant, puis cuire jusqu'à ce que le sirop ait atteint la densité nécessaire.

LA MISE EN POTS

Avant de commencer la cuisson des gelées, ébouillantez les pots ainsi que les couvercles, égouttez-les sur un linge. Ou mettez-les au lave-vaisselle et gardez-les chauds.Lorsque les gelées sont cuites, écumez, puis mettez-les, encore chaudes, dans les pots; laissez les ensuite refroidir, c'est à ce moment là qu'elles prennent et fermez. Avant d'entreposer les pots, collez sur chacun une étiquette avec le nom du produit et la date de fabrication; jour, mois, année. Les gelées se conservent beaucoup moins longtemps que les confitures : trois mois dans un endroit frais, sec et sombre et le double dans le réfrigérateur.

L'EXTRACTION DU JUS

Les fruits, quels qu'ils soient, doivent être frais et sains; il faut les laver et les égoutter avant toute utilisation et les couper si cela est nécessaire.

Il est indispensable de faire cuire les fruits avec ou sans eau, selon le type de fruits, pour les ramollir et permettre ainsi d'en extraire le jus plus facilement.

L'étape suivante consiste à écraser les fruits à la fourchette; versez-les ensuite dans une passoire tapissée d'un coton fromage. Laissez alors s'écouler douce-ment le jus, pendant au minimum 2 h; mais le mieux est de le laisser s'écouler, placé au-dessus d'un grand chaudron, toute la nuit. Il ne faut surtout pas écraser la pulpe des fruits; elle passerait au travers de la passoire et troublerait la gelée. Il est aussi très important de laisser les coeurs, les peaux et les pépins de certains fruits car ces éléments sont riches en pectine.

À L'HEURE DE LA DÉGUSTATION

Les gelées ont d'autres utilisations que celles des confitures. Comme ces dernières, vous pouvez les prendre au petit déjeuner, mais pensez à les faire fondre, dans un chaudron, à feu doux, pour en napper les tartes aux fruits. Sachez aussi qu'elles seront excellentes avec des plats salés, dinde, poulet, gigot d'agneau, ect... leur légère acidité

se mariant très bien avec le goût
du sel.

PICKLES ET MARINADES

Les pickles (mots, d'origine
anglaise, qui signifie littérale-
ment conserves au vinaigre) sont
des condiments qui relèvent avec
bonheur maints plats de notre
cuisine traditionnelle. Ils englo-
bent légumes et fruits de toute
nature conservés dans du vinaigre
fortement et agréablement aromatisé.

Choisissez toujours des fruits
et des légumes bien frais jeunes
et sans aucune tache.

Vous pouvez mélanger les
légumes de façon différente
selon les saisons; au printemps,
choisissez les tendres légumes
nouveaux : carottes, choux-fleurs,
haricots, oignons, concombres. En
automne, préférez les poivrons,

les oignons, les céleris, les prunes, les pêches et les poires.

L'INDISPENSABLE VINAIGRE

Sans vinaigre, pas de pickles et de marinades! N'importe quel genre de vinaigre convient à leur préparation .

DES AROMATES

Les aromates jouent un rôle primordial dans la préparation des pickles et de toutes les conserves au vinaigre. Ceux qui sont employés le plus couramment sont le thym, le laurier, les clous de girofle et le poivre; mais il existe beaucoup d'autres moins connus : les graines de moutarde , la muscade et le cardamome. Pour préparer vos pickles et marinades, n'achetez jamais d'aromates en poudre : ils se déposeraient au fond du bocal et troubleraient le vinaigre. De plus, leur goût trop prononcé risquerait de gâcher la préparation.

LES CONSERVES

Comment déguster hors saison vos fruits et vos légumes favoris. Comment préparer vous-même, de facon infaillible, ces confitures si parfumées qui embaument les cuisines pendant des jours. Petit problème facile à résoudre grâce à ce livre.

À vous donc le plaisir de pouvoir aligner sur les étagères de vos placards le résultat de cette douce alchimie fruits et légumes en conserve pour jalonner les quatre saisons ...

Toutes les réponses aux questions que vous vous posez concernant la préparation, la cuisson et la conservation de chaque produit vous sont apportées dans ce livre. Il suffit de lire avec soin les diverses introductions, puis de vous reporter aux recettes qui vous intéressent particulièrement. Suivez-les tranquillement au fil des saisons.

Armé des conseils et des recettes dispensés et proposés ici, vous apprendrez vites à faire vous-même aisément vos conserves; vous découvrirez qu'au plaisir de fabriquer soi-même de délicieux produits vient s'ajouter celui de faire des économies substantielles : préparer 2 kg de confiture en pleine saison est certes plus rentable que d'acheter des pots tout prêts au jour le jour.

Toutes nos recettes, vous permettrons de réaliser des conserves traditionnelles aux saveurs originales, résultant de mélanges audacieux. Plus d'hésitation.

Vous les trouverez délicieuses et gageons qu'ils ne séjourneront pas longtemps dans vos placards.

POUR PRÉVENIR LA DÉCOLORATION

Plonger les pêches, poires et pommes pelées dans un bain de saumure ou une solution d'acide ascorbique pour prévenir la décoloration.

SAUMURE – Dissoudre 1 c. à thé de sel dans un litre d'eau froide. Ne plongez, en une fois, que juste assez de fruits pour remplir deux ou trois récipients et ne pas tremper plus que quelques mn. , sinon les fruits auraient un goût salé.

Égouttez les fruits parfaitement avant de les faire cuire ou de les mettre en pots.

Changer le bain de saumure lorsque celui-ci se décolore.

SOLUTION D'ACIDE ASCORBIQUE – Dissoudre 1/8 cuillère à thé d'acide ascorbique (en poudre ou en cristaux) ou 400 ml. (en comprimés) dans 1 litre d'eau froide. Cette solution n'altère pas le goût des fruits même s'ils sont laissés quelque temps. L'acide ascorbique n'est que de la vitamine C et est disponible dans toutes les bonnes pharmacies et plusieurs épiceries.

MISE EN CONSERVE À CHAUD OU À FROID AVEC SIROP

Si on utilise du sirop, le faire avant de préparer le fruits. Choisir le sirop approprié à la recette.

Mélangez sucre et eau selon les proportions suivantes et amenez à ébulition en remuant pour dissoudre le sucre. Écumez le sirop, si nécessaire, et gardez-le chaud.

GENRE DE SIROP	SUCRE	EAU	QUANTITÉ
Très clair	1 tasse	3 tasses	31/2 tasses
Clair	1 tasse	2 tasses	21/2 tasses
Régulier	1 tasse	1 1/2 tasse	2 tasses
Moyen	1 tasse	1 tasse	1 1/2 tasse
Épais	1 tasse	3/4 tasse	1 1/4 tasse

On peut remplacer jusqu'à 1/4 de sucre par une quantité égale de miel ou du sirop de mais . (Si vous utilisez le miel , le goût en sera quelque peu changé).

PROCÉDÉ À FROID – Remplissez les contenants de fruits crus jusqu'à 2 cm du bord . Recouvrez complétement les fruits de sirop chaud, gardez un espace de tête. Faites sortir les bulles d'air en promenant la lame d'un couteau de haut en bas à l'intérieur du récipient. Fermez les pots puis stérilisez en vous guidant sur le tableau des durées de stérilisation au bain d'eau bouillante.

PROCÉDÉ À CHAUD – Ajoutez au sirop les fruits préparés, amenez à ébullition et faites mijoter. Versez les fruits et le sirop dans les pots en ayant soin de laisser l'espace de tête. Stérilisez ensuite en vous guidant sur le tableau des durées de stérilisation au bain d'eau bouillante.

BONS ET MAUVAIS MICROBES

Si les microbes contenus dans les aliments ne sont pas morts au cours de la stérilisation, ils sécrètent des toxines, autrement dit des poisons. La plus dangereuse est le bacillus botunus qui donne son nom au botulisme, maladie parfois mortelle. Elle ne donne aucune odeur aux aliments. On la détruit lorsqu'on stérilise les aliments pendant au moins 15 mn. 500 ml. à 100 degrés celcius .

D'autres microbes, transportés par la terre, sont contenus dans les aliments quand nous les achetons. C'est pourquoi il est nécessaire de préparer tout aliment à stériliser le plus méticuleusement possible : nettoyage, lavage, blanchiment, tous stades indispensables.

Les bons microbes, ce sont les levures; celles qui permettent la fermentation du vin, de la bière, du pain ou qui transforment le lait en lait caillé, en fromage ou en yogourt.

LES ANTISEPTIQUES

Les antiseptiques sont des substances qui empêchent la prolifération des microbes. Ce sont, dans le cas de conserves ménagères, le sel, le sucre, l'alcool et le vinaigre.

Le sel, utilisé pour les saumures, permet de faire sortir l'eau des aliments et les pénètre à son tour, empêchant le développement des microbes.

Le sucre sous forme de sirop, est aussi un antiseptique.

L'alcool est un antiseptique lorsqu'il entre dans la préparation d'un aliment en proportion de 15 % du volume total. Comme il pénètre les aliments et en faits sortir l'eau, ce qui entraîne un abaissement de la proportion d'alcool, mieux vaut choisir un alcool faisant au moins 40 degrés.

Le vinaigre contenant de l'acide acétique est donc un milieu acide par excellence. Tout comme l'alcool, il fait sortir l'eau des aliments; il faut donc choisir un degré d'alcool qui ne soit pas inférieur à 6. Sinon, l'acidité diminue et une fermentation entraînant la prolifération des microbes peut se produire. Il est important que les aliments soient complètement immergés dans le liquide.

LA PRÉPARATION DES ALIMENTS

Les aliments doivent être choisis très soigneusement.

Les fruits et les légumes, parfaitement sains, sans aucune tache ni trace douteuse, doivent être très frais. Si vous avez un jardin, cueillez-les au dernier moment. Il faut les laver très rapidement pour éviter qu'ils ne s'imprègnent d'eau et perdent leurs sels minéraux.

Certains aliments doivent être blanchis, opération qui consiste à les plonger dans de l'eau bouillante et à les laisser frémir quelques minutes après la reprise de l'ébullition; cela permet un nettoyage plus complet, une élimination de l'acidité de certains produits ou un attendrissement léger pour d'autres. En aucun cas, l'eau du blanchiment ne doit être réutilisée.

Si vous voulez conserver des fruits natures, ajoutez un sirop clair, moyen ou épais. (Voir le tableau des sirop.)

Certains légumes doivent être assaisonnés de 1 à 2 c. à soupe de jus de citron; c'est le cas des artichauts, des asperges, bettes à carde, des céleris-raves, des endives et des salades entières. Cela leur garde leur couleur et leur permet de mieux se conserver. Tous les légumes doivent être salés à raison d'au moins une c. à soupe de sel fin par pot de 1 litre.

Une fois mis en pots, les aliments doivent être totalement recouverts de la solution choisie, qu'elle soit salée ou sucrée. Il faut laisser entre 1,5 et 2 cm d'espace (espace de tête) entre les aliments et le couvercle : cela évite un éclatement des pots qui pourrait se produire sous l'effet de la chaleur.

LES APPAREILS À UTILISER

Divers appareils peuvent être employés pour stériliser.

Le stérilisateur est une marmite en métal galvanisé, munie d'une claie, qui empêche le contact direct des pots avec le fond du récipient et évite un coup de chaleur trop important. La claie est faite de tiges métalliques permettant de placer chaque pot sans qu'ils se touchent. La capacité moyenne d'un stérilisateur est de 7 pots de 1 litre. Il n'est pas coûteux, mais très encombrant!

L'autocuiseur peut être utilisé, mais il n'a pas une très grande contenance. L'opération de stérilisation doit donc être exécutée en plusieurs fois.

L'autoclave fonctionne sur le même principe que l'autocuiseur. Il ne faut faire l'achat de cet appareil coûteux que si l'on fait de très nombreuses conserves.

Les récipients de fortune : grande marmite ou petit chaudron, peuvent remplacer tout autre appareil. Dans ce cas, il faut prendre soin d'entourer les bocaux de linges propres pour bien les caler et les isoler les uns des autres.

LES TEMPÉRATURES DE STÉRILISATION

L'opération s'effectue de façon différente selon les appareils utilisés :

Dans le stérilisateur ou le récipient de fortune, la température ne dépassant pas 100 degrés, il faut ajouter du sel, a raison de 250 grammes par litre d'eau, pour permettre une augmentation de la température à 108 degrés. Cela est nécessaire pour les aliments alcalins.

Dans un autoclave ou un autocuiseur, la témpéreture étant d'environ 110 à 115 degrés, vous pouvez vous contenter d'eau courante.

Les temps de stérilisation sont calculés pour chaque recette à partir de la prise de l'ébulition de l'eau.

LE CHOIX DES RÉCIPIENTS

Le verre est indispensable; s'il est recuit, il supporte mal les différences de température et il faut donc l'amener à ébullition et le refroidir très lentement. S'il est trempé, vous pouvez sortir aussitôt les pots du stérilisateur, ce qui permet aux aliments de conserver leur fermeté.

LE SYSTÈME DE FERMETURE

Il existe plusieurs systèmes efficaces :

La bouteille, système d'ouverture des bouteilles de bière et de limonade d'autrefois, dont l'étanchéité est assurée par des joints en caoutchouc, qui doivent être changés à chaque nouvelle stérilisation. C'est parfait pour les boissons; on peut aussi y glisser des fruits et des légumes de petit calibre : petits pois, bleuets, groseilles, framboises, fraises sauvages... Si vous utilisez des bouteilles normales fermées par des bouchons de liège, ceux-ci doivent subir un bain prolongé dans de l'eau bouillante pour permettre au liège de gonfler; sans cette précaution, le bouchon sauterait pendant l'ébullition. Une fois le liège bien gonflé, fermez la bouteille en enfonçant profondément le bouchon et attachez le solidement avec une ficelle noué très serré autour du goulot ou avec un fil de fer.

L'étrier, ressort en métal que l'on met en place une fois le pot

fermé et qui appuie sur le couvercle .

Le couvercle à vis (le plus
connu) dont l'étanchéité est assurée par un joint métallique bordé
de caoutchouc ou par un joint de
caoutchouc. Evitez de trop serrer
le couvercle avant la stérilisation.

L ÉTANCHÉITÉ

L'étanchéité d'un pot est absolument obligatoire pour la bonne
conservation des produits stérilisés. Elle est assurée par des joints
de caoutchouc qui doivent toujours être en parfait état. Il faut
donc les remplacer à chaque nouvelle stérilisation. Les capsules
en métal doivent aussi être chan-
gées, surtout celles qui doivent
être percées pour être ôtées! Vous
les trouverez facilement dans les
épiceries ou quincailleries.

LA CONTENANCE ET LA FORME DES POTS

Choisissez les pots en fonction des aliments. Si vous stérilisez des asperges, prenez des pots hauts et longs; si ce sont des coeurs de céleri, prenez les larges. Sachez aussi qu'un pot entamé doit être consommé le plus rapidement possible : n'utilisez donc pas de pots trop gros. Il en existe une grande variété allant de 1/4 de litre à 1.5 litre. Ayez un bon assortiment et voyez aussi la place dont vous disposez pour les rangez!

L'ENTREPOSAGE

Il doit se faire dans un endroit frais, de 10 à 15 degrés, sec et sombre. Vous éviterez ainsi fermentations, moisissures et variations de couleurs.

Les pots, bocaux, bouteilles doivent être soigneusement étiquetés : nom du produit, jour, mois et année de fabrication.

Les fruits et les légumes stérilisés se conservent de 10 à 12 mois sans problème.

TEMPS DE STÉRILISATION

Vous trouverez aux pages suivantes des tableaux indiquant les temps de stérilisation des fruits et des légumes. Ces temps sont donnés pour des pots de 1 litre . Le temps est celui de la stérisation effectuée le jour même de la préparation.

FRUITS	Stérilisateur	Autocuiseur
Abricots	25 mn	17 mn
Ananas	45 mn	10 mn
Bleuets	15 mn	10 mn
Cerises	20 mn	15 mn
Fraises	15 mn	10 mn
Framboises	15 mn	10 mn

	Stérilisateur	Autocuiseur
Groseilles	20 mn	15 mn
Oranges	1 h	40 mn
Pêches	25 mn	17 mn
Poires	30 mn	20 mn
Pommes	30 mn	20 mn
Raisin	20 mn	10 mn

LÉGUMES	Stérilisateur	Autocuiseur
Artichauts	1 h	40 mn
Asperges	1 h	40 mn
Bettraves	1 h	40 mn
Brocolis	1 h	40 mn
Carottes	1 h	40 mn
Céleris	1 h 30	1 h
Céleris-raves	1 h	40 mn
Champignons	1 h	40 mn
Choux-fleurs	1 h	40 mn
Épinard	1 h	40 mn
Haricots	1 h 30	1 h
Maïs	1 h	40 mn
Petits pois	1 h 30	1 h
Poireaux	1 h	40 mn
Tomates	45 mn	30 mn

JUS DE RAISIN

3 pots de 500 ml.

2 1/2 tasses d'eau, 1 panier de 6 litres de raisin

1. Lavez, égrappez et écrasez les raisins. Mélangez dans un chaudron et amenez à ébullition et faites mijoter à couvert pendant 15 mn.

2. Égouttez dans un tamis.

3. Ajoutez du sucre si désiré.

4. Amenez à ébullition.

5. Remplissez les pots chauds.

6. Stérilisez pendant 15 mn.

JUS DE TOMATES EN CONSERVE
1 pot de 500 ml.

tomates fraîches, 1/4 c. à thé
d'acide citrique, 1/2 c. à thé de sel.

1. Lavez les tomates, ôtez les
   coeurs, coupez-les en morceaux.

2. Amenez à ébullition et faites
   mijoter, à couvert, 5 mn.

3. Passez au tamis et amenez à
   ébullition.

4. Versez dans le pot chaud en y
   laissant un espace de tête.

5. Ajoutez le sel et l'acide citrique, remuez.

6. Fermez le pot. Stérilisez 40 mn.

TOMATES AUX FINES HERBES EN CONSERVE

Pour environ 7 pots de 500 ml.

1,750 kg de petites tomates bien fermes, 4 c. à soupe de jus de citron, quelques herbes fraiches : menthe, origano, basilic ou thym, 30 g de sucre et 1 c. à soupe de sel.

1. Faites chauffer un grand chaudron d'eau. Lavez les herbes, égouttez-les et recueillez-en les feuilles ou les brindilles. Retirez la queue des tomates; plongez celles-ci quelques secondes dans l'eau bouillante, puis rafraîchissez-les, pelez-les et coupez-les en deux ou en quatre suivant leur grosseur.

2. Rangez les tomates dans des pots en perdant le moins de place possible, mais sans les écraser. Répartissez le jus de citron, le sucre, le sel et les herbes entre les différents pots. Fermez et stérilisez 45 mn.

3. Vérifiez la fermeture des pots avant de les ranger.

TOMATES AU NATUREL EN CONSERVE

Pour environ 8 pots de 500 ml.

1,250 kg de petites tomates bien fermes, 5 c. à soupe de jus de citron, 1 c. à soupe de sel et 5 tasses d'eau.

1. Mettez l'eau, le sel et 5 c. à soupe de jus de citron dans un chaudron et portez à ébullition.

2. Pendant ce temps, ébouillantez-les tomates puis plongez-les dans l'eau froide, retirez-en la pelure et le coeur, répartissez-les dans des pots.

3. Lorsque l'eau bout, couvrez-en les tomates. Fermez les pots et stérilisez 45 mn.

4. Vérifiez la fermeture des pots avant de les ranger.

FRAISES AU NATUREL EN CONSERVE

Pour environ 7 pots de 500 ml.

1,5 kg de fraises très saines et 350 g de sucre.

1. Lavez rapidement les fraises, égouttez-les et retirez-en les queues. Répartissez-les dans des pots en alternant les couches de fraises et les couches de sucre. Fermez les pots et stérilisez 15 mn.

2. Laissez refroidir et vérifiez la fermeture des pots avant de les ranger.

FRAMBOISES AU NATUREL EN CONSERVE

Pour environ 7 pots de 500 ml.

1,5 kg de framboises très saines et 350 g de sucre.

1. Lavez rapidement les framboises, égouttez-les, vérifiez si les framboises sont très saines et retirez les pédoncules qui restent. Répartissez-les dans des pots en alternant les couches de fraises et les couches de sucre. Fermez les bocaux et stérilisez 15 mn.

2. Laissez refroidir et vérifiez la fermeture des pots avant de les ranger.

FRAMBOISES À FROID EN CONSERVE

1 pot de 1000 ml.

Très belles framboises, 1 1/2 tasse de sirop très clair.

1. Choisissez les meilleures et plus belles framboises, lavez-les rapidement.

2. Remplissez le pot de framboises.

3. Rajoutez le sirop bouillant en laissant un espace de tête.

4. Stérilisez 20 mn.

MÛRES À FROID EN CONSERVE

1 pot de 1000 ml.

Très belles mûres, 1 1/2 tasse de sirop très clair.

1. Choisissez les meilleures et plus belles mûres, lavez-les rapidement.

2. Remplissez le pot de mûres.

3. Rajoutez le sirop bouillant en laissant un espace de tête.

4. Stérilisez 20 mn.

BLEUETS À FROID EN CONSERVE

1 pot de 1000 ml.

Bleuets frais sans taches, 1 tasse de sirop très clair.

1. Lavez les bleuets, enlevez les queues et les tiges.

2. Remplissez le pot de bleuets

3. Rajoutez le sirop bouillant en laissant un espace de tête.

4. Stérilisez 10 mn.

SALADE DE FRUITS DE VIEUX GARÇONS EN CONSERVE

Pour environ 6 pots de 500 ml.

750 g de pommes, 750 g de poires, 800 g d'oranges, 800 g de pêches, 400 g de raisin vert, 2 citrons, 350 g de sucre et 2 tasses d'eau.

1. Lavez les citrons, essuyez-les et rapez-en le zeste. Mettez ce zeste avec l'eau et le sucre dans un chaudron, mélangez, puis faites chauffer à feu doux. Lorsque le sucre est fondu, portez à ébullition et laissez cuire 1 mn à feu vif.

2. Faites chauffer de l'eau dans un chaudron. Pendant ce temp, épluchez les pommes et les poires, coupez-les en quatre, retirez la queue, le coeur et lespépins, puis découpez les quartiers de fruits en lamelles.

Coupez les citrons en deux, pressez-les et arrosez les lamelles de fruits avec la moitié de ce jus pour éviter qu'elles ne noircissent. Pelez les oranges à vif et coupez-les en rondelles aussi minces que possible.

3. Lorsque l'eau bout dans le chaudron, plongez-y les pêches quelques secondes, égouttez-les, pelez-les, coupez-les en deux, enlevez le noyau et coupez-les en demi-pêches en tranches. Lavez le raisin et égrenez-le. Coupez chaque raisin en deux et retirez les pépins. Mélangez délicatement tous ces fruits dans un bol, puis répartissez-les dans les pots.

4. Ajoutez le reste du jus de citron au sirop et portez à ébullition. Versez ce sirop bouillant sur les fruits, puis fermez les pots et stérilisez 30 mn.

POIRES À L' ALCOOL EN CONSERVE

Pour environ 5 pots de 500 ml.

2 kg de poires, 1 citron, 4 c. à café de gelée de pommes, 1 bâton de cannelle, 225 g de sucre, 2 tasses d'alcool à 40° et 3 tasses d'eau.

1. Épluchez les poires, coupez-les en deux, retirez la queue, le coeur et les pépins. Lavez le citron et prélevez 4 lanières de zeste, dans le sens de la hauteur, avec un couteau à patate.

2. Versez l'eau et l'alcool dans un chaudron; ajoutez le sucre, la gelée de pommes, les zestes de citron et la cannelle; mélangez à feu doux. Lorsque le sucre et la gelée sont fondus, portez à ébullition et faites cuire 2 mn à feu vif.

3. **Plongez les poires dans ce sirop bouillant et faites les cuire 15 mn. à feu doux, en veillant à ce qu'elles ne s'écrasent pas.**

4. **Lorsque les poires sont cuites, retirez-les délicatement du chaudron et répartissez-les dans les pots. Versez le sirop sur les poires. Fermez et stérilisez 30 mn.**

ABRICOTS EN CONSERVE
Pot de 500 ml.

Abricots, sirop : clair

À FROID : lavez, coupez en moitié, dénoyautez ou laissez entiers. Remplissez les récipients d'abricots, creux en bas. Couvrez de sirop bouillant, laissez un espace de tête.

À CHAUD : lavez, coupez en moitiés, dénoyautez ou laissez entiers les fruits. Amenez à ébullition dans le sirop et faites-les mijoter 2 à 3 mn. Remplissez les récipients du produit chaud, laissez un espace de tête. Stérilisez 15 mn.

PÊCHES EN CONSERVE

1 pot de 1000 ml,

Pêches fraîches, 1 1/2 tasse de sirop moyen. Saumure.

1. Blanchissez 15 à 20 secondes les pêches et plongez-les dans l'eau froide.

2. Pelez et dénoyautez-les, coupez-les en deux.

3. Plongez-les dans la saumure.

4. Remplissez le pot avec les pêches creux en bas.

5. Couvrez-les avec le sirop bouillant.

6. Stérilisez pendant 20 mn.

POIRES EN CONSERVE

1 pot de 500 ml.

Poires (4 à 5 poires), 1 tasse de sirop très clair, saumure.

À FROID : Lavez, pelez, coupez, en moitiés ou en quartiers, les poires. Enlevez les coeurs. Plongez les poires dans la saumure. Egoutez-les. Remplissez le pot , creux en bas. Couvrez avec le sirop bouillant, laissant un espace de tête. Stérilisez 20 mn.

À CHAUD : Lavez, pelez, coupez en moitiés ou en quartiers les poires. Enlevez les coeurs. Plongez les poires dans la saumure. Egoutez-les. Amenez à ébullition dans le sirop et faites mijoter les variétés à chair tendre 3 mn.; les variétés à chair ferme 5 mn. Remplissez le pot en laissant un espace de tête. Stérilisez 15 mn.

CERISES EN CONSERVE

Pot de 500 ml.

SIROP : Cerises douces, cerises aigres

À FROID : lavez, équeutez, dénoyautez si désiré. Remplissez les récipients de cerises. Couvrez avec du sirop bouillant , laissez un espace de tête.

À CHAUD : lavez, équeutez, dénoyautez si désiré. Amenez à ébullition dans le sirop et faites mijoter 3 mn. Remplissez les pots de cerises, laissez un espace de tête. Stérilisez 15 mn.

VINAIGRE AROMATISÉ POUR PICKLES

Pour environ 1 litre.

Un bâton de cannelle, 20 clous de girofle, 2 feuilles de laurier, 1 c. à soupe de muscade,1 c. à soupe de graines de piment de Jamaique, 1 c. à soupe de poivre en grains et 5 tasses de vinaigre de xérès ou de malte.

1. Méthode à froid : mettez tous les ingrédients dans un pot, mélangez, puis fermez hermétiquement. Laissez macérer 2 mois en agitant le pot toutes les semaines.

2. Méthode à chaud : mettez tous les ingrédients dans un chaudron, mélangez, puis couvrez, faites chauffer à feu doux. Lorsque le vinaigre bout, retirez le chaudron du feu et laissez macérer 3 h. Au bout de ce

temps, passez le contenu du chaudron au tamis et transvasez le dans une bouteille ou un pot.

3. Pour obtenir un vinaigre plus épicé, vous pouvez ajouter 1 c. à soupe de piments séchés, 2 c. à soupe de graines de moutarde et 1 c. à soupe de graines de fenouil.

N.B. La méthode à froid, qui exige une longue macération, donne de meilleurs résultats.

CONCOMBRE AU VINAIGRE

Pour environ 8 pots de 500ml.

1 kg de concombres, 1 poivron vert, 2 oignons, 1 c. à café de gingembre, 225 g. de sucre, 2 c. à soupe de graines de moutarde, 3 c. à soupe de sel et 3 tasses de vinaigre.

1. Pelez les concombres et coupez-les en rondelles fines. Pelez les oignons et coupez-les en anneaux fins. Coupez le poivron en quatre, retirez le pédoncule, les graines et les filaments, puis coupez-le en lamelles.

2. Mettez alors les concombres, les oignons et le poivron dans un bol, saupoudrez avec le sel, puis couvrez et laissez macérer ainsi pendant au moins 12 heures.

3. Le lendemain, rincez abondamment le contenu du bol, laissez égouttez les légumes, puis essuyez-les dans un linge.

4. Versez le vinaigre dans un chaudron, ajoutez le gingembre, les graines de moutardes et le sucre; mélangez à feu doux.

5. Lorsque le sucre est fondu, portez à ébullition et plongez les légumes dans le vinaigres bouillant. Faites cuire ensuite 1 mn. à feu doux.

6. Rangez les légumes dans les pots, recouvrez avec le vinaigre et fermez.

ÉCHALOTES AU VINAIGRE

Pour environ 6 pots de 500 ml.

6 tasses d'eau, 1 kg d'échalotes, 5 tasses de vinaigre aromatisé et 100 g. de sel

1. Versez l'eau dans un chaudron, ajoutez le sel et mélangez. Mettez les échalotes dans le bol; posez une assiette sur les échalotes pour qu'elles baignent toutes dans la saumure. Laissez macérer 24 heures.

2. Le lendemain, égouttez les échalotes dans une passoire, puis pelez-les. Rincez-les abondamment et essuyez-les dans un linge propre.

3. Versez le vinaigre dans un chaudron et portez à ébullition. Plongez-y les échalotes, portez de nouveau à ébullition et faites cuire 1 mn. à feu doux.

4. Égouttez les échalotes et rangez-les dans les pots. Recouvrez avec le vinaigre et fermez.

CHAMPIGNON AU VINAIGRE

Pour environ 2 pots de 500 ml.

500 g. de champignons en conserve, 1 échalote, 1 c. à soupe de gingembre, 1 c. à café de thym, 1/2 c. à café de poivre noir, 1 c. à café de sel, 2 tasses de vinaigre et 4 c. à soupe de xérès.

1. Pelez l'échalote et hachez la finement.

2. Mettez l'échalote, le gingembre, le thym, le sel, le poivre et le vinaigre dans un chaudron, mélangez, portez à ébullition et faites cuire 5 mn. à feu doux. Plongez alors les champignons dans le vinaigre bouillant. Portez de nouveau à ébullition, couvrez et laissez cuire 1 mn. toujours à feu doux.

3. Ajoutez le xérès et mélangez. Recueillez les champignons avec une écumoire et rangez-les dans les pots. Recouvrez avec le vinaigre chaud et les épices, puis fermez.

BETTRAVES AU VINAIGRE

Pour environ 4 pots de 500 ml.

1 kg de bettraves cuites, 2 citrons, 2 oignons, 1 bâton de cannelle, 2 c. à soupe de sucre et 3 tasses de vinaigre de vin blanc.

1. Épluchez les bettraves et coupez-les en rondelles fines. Coupez les citrons en rondelles en retirant les pépins. Pelez les oignons et coupez-les en anneaux.

2. Mettez les citrons, les oignons, la cannelle, le sucre et le vinaigre dans un chaudron; mélangez. Portez à ébullition et faites cuire 1 mn. à feu doux.

3. Recueillez les rondelles de citrons et les anneaux d'oignon avec une écumoire, puis rangez-les en couche dans les pots en alternant avec des couches de bettrave; ôtez le bâton de

cannelle, recouvrez avec le vinaigre et fermez les pots.

CHOU ROUGE AU VINAIGRE

Pour environ 4 pots de 500 ml.

1 kg de chou rouge, 2 grosses oranges, 1 gros oignon, 50 g. de raisins secs, 1 c. à soupe de cassonade, 2 c. à soupe de sel et 3 tasses de vinaigre blanc.

1. Coupez le chou en quatre en ôtant le centre dur et coupez les feuilles en fines lanières. Mettez celles-ci dans un bol. Saupoudrez-les de sel, couvrez et laissez macérer 24 heures.

2. Le lendemain, rincez abondamment le chou, égouttez-le. Pelez l'oignon et coupez-le en anneaux fins. Rapez le zeste des oranges; pelez-les à vif et coupez-les en morceaux.

3. Mettez dans un chaudron le zeste et la pulpe d'orange, l'oi-

gnon, les raisins, la cassonnade, le sel et le vinaigre, mélangez et portez à ébullition.

4. Mettez le chou dans un bol, ajoutez le contenu du chaudron et mélangez.

5. Remplissez les pots et fermez.

PICKLES AU VINAIGRE

Pour environ 8 pots de 500 ml.

175 g. de sel, 9 tasses d'eau, 1 litre de vinaigre aromatisé, 1,5 kg de légumes variés en quantité égale : petits oignons, cornichon, chou-fleur, concombre, courgette, haricot, tomate, carotte...

1. Mettez l'eau et le sel dans un chaudron et faites bouillir quelques minutes. Laissez tiédir.

2. Coupez les légumes en petits morceaux, si c'est nécessaire. Mettez le tout dans un grand chaudron et recouvrez avec l'eau bouillie. Couvrez et laissez macérer 24 heures.

3. Le lendemain, rincez abondamment les légumes, égouttez-les et essuyez-les dans un linge propre. Rangez-les ensuite dans les pots, recouvrez avec le vinaigre et fermez.

AIL DES BOIS EN CONSERVE

Pour environ 3 pots de 500 ml.

3 tasses de vinaigre, 1 c. à soupe de poivre en grains, 1 c. à soupe de gros sel et 1 kg. d'ail des bois.

1. Mélangez dans un chaudron le vinaigre, le poivre et le gros sel.

2. Portez à ébullition; écumez et laissez mijoter 10 mn.

3. Ajoutez l'ail et laissez encore mijoter 5 mn.

4. Mettez dans les pots. Fermez.

MARINADES AUX PIMENTS ET AUX CHOUX-FLEURS

Pour environ 6 pots de 500 ml.

2 choux-fleurs moyens, 2 poivrons rouges doux coupés en languette, 450 g. de petits oignons blancs coupés en deux, 4 tasses de vinaigre blanc, 2 tasses de sucre blanc, 1/2 tasse de sirop de mais, 1 c. à café de graines de moutarde, 1 c. à café de graines de céleri, 1 c. à café de girofle entier, 1/4 c. à café de curcuma et 2 c. à café de gros sel.

1. Lavez le chou-fleur et le défaire en petits bouquets pour remplir 8 tasses, mettez-les dans un grand chaudron, couvrez et amenez à ébullition à feu doux 5 mn. Égouttez.

2. **Mélangez le reste des ingrédients dans le chaudron et amenez à ébullition. Ajoutez le chou-fleur et laissez bouillir, à découvert, 2 mn.**

3. **Remplissez les pots chauds en laissant un espace de tête. Fermez.**

4. **Stérilisez 15 mn.**

CORNICHONS À LA MOUTARDE

Pour environ 5 litres.

2 litres de petits cornichons, 2 litres de petits oignons blancs, 1 gros chou-fleur, 4 piments rouges doux, 1 tasse de gros sel, 2 tasses d'eau, 1 tasse de farine tout-usage, 1 1/2 tasse de sucre, 1 c. à table de curcuma, 2 litres de vinaigre de cidre.

1. Lavez les concombres et coupez-les en tranches ou en petits morceaux; ne pas les peler. Lavez et pelez les oignons. Lavez le chou-fleur et le défaire en petits bouquets. Lavez les piments, enlevez les graines et hachez en gros morceaux.

2. Mélangez les légumes dans un grand bol. Mêlez le sel et l'eau et versez sur les légumes. Cou-

vrir et laissez ainsi toute la nuit, à la température de la pièce.

3. Le lendemain matin, amenez les légumes et leur saumure au point d'ébullition; évitez de faire bouillir; égouttez-les très bien.

4. Mélangez la farine, la moutarde, le sucre et le curcuma dans un chaudron. Ajoutez juste assez de vinaigre froid pour obtenir une pâte. Ajoutez ensuite le reste du vinaigre et amenez à ébullition, en remuant.

5. Ajoutez les légumes bien égouttés et laissez mijoter jusqu'à ce qu'ils soient tendres, mais non sur-cuits.

6. Mettez dans des pots d'un litre.

7. Stérilisez durant 10 mn.

TRANCHES DE CONCOMBRES MARINÉS

Pour environ pour 6 pots de 500 ml.

25 concombres.8 gros oignons, 1/2 tasse de gros sel, 5 tasses de vinaige de cidre, 5 tasses de sucre, 2 c. à table de graines de moutarde, 2 c. à table de graines de céleri,2 c. à thé de curcuma, 1/2 c. à thé de clou de girofle moulu .

1. Brossez les concombres et les couper en tranches minces; ne pas les peler.

2. Coupez les oignons en tranches minces et mélangez-les avec les tranches de concombres et le sel. Couvrez et laissez reposer ainsi, à la température de la pièce, durant 3 heures. Bien égouttez.

3. Mettez le reste des ingrédients dans un grand chaudron et amenez à ébullition. Ajoutez les légumes égouttés et chauffez pleinement, sans faire boullir.

4. Mettez dans les pots.

5. Stérilisez durant 5mn.

CORNICHONS JUIFS

Pour environ 4 pots de 1 litre.

40 concombres à marinade moyens, gros sel, 3 tasses de vinaigre blanc, 12 gousses d'ail pelées, 2 c. à table d'épices à marinades, 4 bouquets de fenouil frais, 8 petits piments rouges, forts.

1. Bien laver les concombres et enlevez tous les ombilics. Faites tremper les concombres durant 24 heures, couverts, dans une saumure préparée avec 1 tasse de sel et 2 litres d'eau. Retirez ensuite les concombres de la saumure, égouttez-les et asséchez-les.

2. Mettez le vinaigre et 1.2 litre d'eau dans un grand chaudron. Ajoutez les épices et l'ail enveloppés dans un coton-fromage. Amenez à ébullition. Ajoutez

les concombres et retirez le chaudron du feu.

3. Remplissez chaque pot de 1 litre avec 2 piments, un bouquet de fenouil et les concombres.

4. Remettez le vinaigre sur le feu et amenez à ébullition. Retirez les épices. Couvrez les concombres avec le vinaigre.

5. Stérilisez durant 5 mn.

CORNICHONS AU CARI

Pour environ pour 6 pots de 500 ml.

24 concombres moyens, 1/2 tasse de gros sel, 2 litres d'eau, 1 c. à thé de poudre de cari, 2 tasses de vinaigre, 2 1/2 tasses de sucre, 1/4 tasse de graines de moutarde, 1 c. à table de graines de céleri.

1. Lavez les concombre et coupez-les en tranches minces, sans les peler.

2. Mélangez le sel et l'eau et versez sur les tranches de concombres. Couvrez et laissez ainsi durant 5 heures, à la température de la pièce. Égouttez et bien rincer à l'eau froide, puis égouttez à nouveau.

3. Mêlez le reste des ingrédients dans un chaudron et amenez à ébullition. Retirer du feu immédiatement.

4. Mettez dans les pots.
5. Stérilisez durant 5 mn.

CORNICHONS SUCRÉS
(Bread and butter)

Pour environ pour 6 pots de
500 ml.

4 litres de concombre non pelés,
tranchés minces, 1 1/2 tasses d'oignons tranchés minces, 1/3 tasse
de gros sel, 2 gousses d'ail,
8 tasses de glace concassée,
4 tasses de sucre, 1 1/2 c. à thé de
curcuma moulu, 1 1/2 c. à thé de
graines de céleri, 2 c. à table de
graines de moutarde, 3 tasses de
vinaigre blanc

1. Mélangez les tranches de concombres, d'oignons, le sel et
l'ail dans un grand chaudron
ou un grand bol. Couvrez avec
la glace concassée et laissez
ainsi 3 heures.

2. Égouttez très bien le mélange,
jetez le liquide et l'ail (si
désiré)

3. Mélangez le sucre, le curcuma, les graines de céleri, de moutarde et le vinaigre, dans un grand chaudron. Amenez à ébullition et remuez jusqu'à ce que le sucre soit complétement dissous.

4. Ajoutez les légumes égouttés et amenez à ébullition. Laissez mijoter,à découvert, durant 5mn.

5. Mettez dans les pots. Stériliser durant 5 mn.

BETTRAVES MARINÉES

Pour environ 6 pots de 500 ml.

4 kg de très petites bettraves fraîches,1 c. à thé de clous de girofle entiers,1 c. à thé de quattre-épices entiers, 2 bâtons de cannelle,2 tasses de sucre, 2 tasses de vinaigre de cidre, 2 tasses d'eau.

1. Lavez les bettraves, égouttez-les. N'enlevez pas la tige ni les racines afin d'éviter le saignement. Couvrez d'eau bouillante et faites mijoter, couvrez, environ 20 mn. Egouttez-les très bien .Lorsqu'elles sont refroidies, pelez-les et enlevez la tige et les racines.

2. Enveloppez les épices dans un coton-fromage et mettez-les dans un chaudron avec le reste des ingrédients. Amenez à ébullition. Ajoutez les bettra-

ves cuites et laissez mijoter, à découvert, durant 10 mn. Retirez les épices.

3. Mettez en pots et stérilisez 30 mn.

CAROTTES MARINÉES SUCRÉES

Pour environ 4 pots de 500 ml.

8 tasses de carottes en morceaux (1 kg), 2 tasses de vinaigre de cidre, 1 1/2 tasse d'eau, 2 tasses de sucre, 1 c. à table de clous de girofle entiers, 1 c. à table de quatre-épices, 2 bâtons de cannelle.

1. Pelez les carottes et coupez-les en morceaux de 2 cm de longueur. Cuisez-les 5 mn. dans un peu d'eau bouillante salée jusqu'à ce qu'elles soient tendre.Egouttez.

2. Mélangez le vinaigre, l'eau et le sucre dans un grand chaudron. Ajoutez les épices enveloppées dans un coton-fromage et amenez à ébullition.

3. Ajoutez les carottes, couvrez et laissez ainsi toute la nuit, à la température de la pièce.

4. Le lendemain, amenez à ébullition, puis réduisez le feu et laissez mijoter, à découvert, durant 3 mn. Retirez les épices et mettez les carottes dans les pots.

5. Stérilisez durant 10 mn .

POIVRONS AU VINAIGRE

Environ 4 pots de 500 ml.

1,5 kg de poivrons verts et rouges en quantité égale, 2 feuilles de laurier, 2 branches de thym, 2 branches de persil, 1 c. à café de poivre en grains, 3 c. à soupe de sel, 3 tasses de vinaigre de vin.

1. Lavez les poivrons, coupez-les en quatre, retirez les pédoncules, les graines et les filaments blancs, puis coupez la pulpe en lamelle de 5 mm. de large. Mettez celles-ci dans un bol, saupoudrez-les avec le sel et mélangez bien. Couvrez et laissez macérer 12 h.

2. Le lendemain, rincez abondamment les poivrons, égouttez-les, puis essuyez-les dans un linge.

3. Lavez le persil, égouttez-le et mettez-le dans un chaudron

avec le thym et le laurier. Ajouter le vinaigre et le poivre, portez à ébullition.

4. Pendant ce temps, rangez les poivrons dans les pots. Dès que le vinaigre bout, recouvrez-en les poivrons. Répartissez les herbes dans les pots, fermez.

5. Stérilisez 5 mn.

KETCHUP DE TOMATES VERTES

Pour environ 9 pots de 500 ml.

20 tomates vertes moyennes, 1/2 tasse de gros sel, 6 oignons, 1 pied de céleri, 3 tasses de vinaigre, 3 tasses de sucre, 1 c. à soupe de poivre, 1 c. à soupe de clous de girofle moulus, 1 bâton de cannelle et 1 c. à thé de piment fort.

1. Coupez les tomates en tranches, mettez-les dans un bol et saupoudrez-les de gros sel. Laissez macerer 12 h

2. Le lendemain, laissez égoutter pendant quelques heures.

3. Mettez tous les légumes coupés dans un grand chaudron. Enveloppez les épices dans un coton-fromage et faites-en un sachet. Ajoutez-le aux légumes.

Laissez mijoter 2 h. en mélangeant souvent.

4. Mettez en pots et fermez.

5. Stérilisez 30 mn.

KETCHUP AUX BETTRAVES

4 pots de 1000 ml.

2 kg de bettraves cuites, 1.250 kg de pommes Granny Smith, 2 citrons, 500 g. d'oignons, 500 g. de sucre, 2 c. à soupe de gingembre, 1 c. à café de poivre, 2 c. à café de sel, 5 tasses de vinaigre.

1. Coupez les bettraves en petits morceaux. Rapez les citrons en zeste, coupez-les en deux et pressez-les. Hachez les oignons. Coupez les pommes en quatre, retirez la queue, le coeur et les pépins, puis coupez-les en petits morceaux.

2. Mettez le tout dans un chaudron; mélangez à feu doux. Lorsque le sucre est fondu, portez à ébullition et faites cuire 1h 30 environ jusqu'à ce que

vous obteniez une préparation épaisse.

3. Mettez en pots le ketchup encore chaud et fermez.

KETCHUP AUX PÊCHES ET AUX ORANGES

6 pots de 500 ml.

1 panier de pêches de 4 litres et 2 oranges, 250 g. d'oignons, 250 g. de raisins secs,100 g. d'amande, 225 g. de sucre, 1 c. à soupe de gingembre, 1 c. à café de cannelle, 1 c. à café de piment de la Jamaique, 2 c. à café de sel et 3 tasses de vinaigre de vin.

1. Faites bouillir un chaudron d'eau. Râpez les oranges en zeste. Coupez-les en deux et pressez-les. Hachez les oignons.

2. Plongez les pêches quelques secondes dans l'eau bouillante, pelez-les; ouvrez-les et ôtez les noyaux. Coupez les demi-pêches en lamelles.

3. Mettez le zeste, le jus d'orange, les raisins, les pêches, les oignons, le gingembre, les amandes, le sucre, la cannelle, le piment, le sel et le vinaigre dans un chaudron, mélangez à feu doux. Lorsque le sucre est fondu, portez à ébullition sans cesser de tourner. Puis à feu doux, faites cuire 1 h 30 environ.

4. Mettez en pots le ketchup encore chaud et fermez.

KETCHUP DE TOMATES ROUGES

Pour environ 9 pots de 500 ml.

5 kg de tomates, 5 oignons moyens, 2 tasses de céleri coupé en dés, 2 tasses de vinaigre, 1 tasse de sucre, 2 c. à café de cannelle, 2 c. à café de graines de moutarde et 1 c. à café de graines de céleri.

1. Ébouillantez et pelez les tomates et coupez-les en quartier. Hachez les oignons et le céleri.

2. Faites fondre le sucre dans le vinaigre.

3. Ajoutez tous les autres ingrédients et laissez mijoter 2 h en mélangeant souvent.

4. Mettez en pots et fermez.

5. Stérilisez 30 mn.

CONFITURE DE PRUNES

8 pots de 500 ml.

2 kg de prunes, 1,750 kg. de sucre, 4 oranges et 2 tasses d'eau.

1. Coupez les prunes en deux et ôtez les noyaux. Rapez le zeste des oranges, puis coupez-les en deux et pressez-les.

2. Mettez les prunes dans un chaudron, ajoutez l'eau, le zeste et le jus des oranges. Portez à ébullition et laisser frémir pendant 15 mn.

3. Ajoutez le sucre et mélangez; lorsque le sucre est fondu, portez à ébullition et laissez la cuisson se poursuivre pendant 20 mn. à feu vif en remuant souvent.

4. Arrêtez la cuisson, écumez, laissez tiédir. Mettez en pots et fermez.

CONFITURE RHUBARBE ET ORANGES

pour 8 pots de 500 ml.

1 kg de rhubarbe, 1 kg d'oranges, 1,5 kg de sucre , 25 g de gingembre et 3 tasses d'eau.

1. Rapez le zeste des oranges et pelez-les à vif. Séparez les quartiers en passant un couteau entre les membranes blanches

2. Mettez ces membranes, les peaux blanches et les pépins dans un chaudron avec l'eau et le gingembre. Portez à ébullition, couvrez et laissez cuire 30 mn. à petits frémissements.

3. Otez la pelure des tiges de rhubarbe et coupez-les en tronçons de 5 cm et mettez-les dans un autre chaudron.

4. Passez au tamis le contenu du premier chaudron au dessus du second : ajoutez le zeste et les quartiers d'orange. Portez à ébullition et laissez frémir 15 mn.

5. Ajoutez le sucre, mélangez. Lorsque le sucre est fondu, portez à ébullition et laissez cuire encore 15 mn. à feu vif, en remuant souvent. Arrêtez la cuisson, écumez.

6. Laissez tiédir. Mettez en pots et fermez.

CONFITURE POMMES ET FRAMBOISES

pour 6 pots de 500 ml.

1.5 kg de pommes acides Granny Smith, 1 kg de framboises, 1,750 kg de sucre, 2 citrons et 3 tasses d'eau.

1. Pelez les pommes, coupez-les en quartier; ôtez les coeurs et les pépins. Conservez-les; coupez les pommes en lamelles. Rapez le zeste des citrons; coupez-les en deux et pressez-les. Mettez les écorces et les pépins des citrons, les coeurs et les pépins des pommes dans un coton fromage et faites un petit sachet.

2. Mettez le coton fromage, les pommes, l'eau, le zeste et le jus de citron dans un chaudron; portez à ébullition, laissez frémir 15 mn. puis ajoutez les

framboises et laissez frémir encore 15 mn.

3. Otez le coton fromage; ajoutez le sucre, mélangez.Lorsque le sucre est fondu, portez à ébullition et laissez cuire 15 mn. à feu vif. Arrêtez la cuisson, écumez.

4. Laissez tiédir. Mettez en pots et fermez.

CONFITURE DE RHUBARBE ET DE FRAMBOISES

6 pots de 500 ml.

1 kg de rhubarbe, 500 g de framboises, 2 citrons, 1,5 kg de sucre et 8 tasses d'eau.

1. Otez la pelure des tiges de rhubarbe et coupez-les en tronçons de 1 cm. Mettez-les dans un chaudron avec l'eau, portez à ébullition et laissez frémir pendant 15 mn.

2. Pendant ce temps, rapez les citrons en zeste. Coupez-les en deux et pressez-les.

3. Au bout de 15 mn. de cuisson de la rhubarbe, ajoutez le zeste et le jus de citron, les framboises et le sucre, mélangez .Lorsque le sucre est fondu, portez à ébullition et laissez encore

cuire 20 mn. à feu vif, en remuant souvent.

4. Arrêtez la cuisson et laissez tiédir. Mettez en pots et fermez.

CONFITURE DE POIRES ET DE POMMES

8 pots de 500 ml.

2 kg de sucre, 1,750 kg de pommes, 1,750 kg de poires et 1,2 litre de cidre.

1. Épluchez les pommes et les poires et coupez-les quatre. Retirez la queue, le coeur et les pépins, puis coupez-les quartiers en lamelles. Recueillez les peaux, les coeurs et les pépins, enveloppez dans un coton fromage et faites- en un petit sachet.

2. Mettez les pommes et les poires et le sachet dans un chaudron, ajoutez le cidre, faites cuire 30 mn. à feu doux, jusqu'à ce que les fruits soient tendres.

3. Ôtez alors le sachet, versez le sucre et mélangez, toujours à

feu doux. Lorsque le sucre est fondu, portez à ébullition et faites cuire 30 mn. à feu vif.

4. Arrêtez la cuisson, écumez, laissez tiédir. Mélangez, mettez en pots et fermez.

CONFITURE DE POMMES

6 pots de 500 ml.

2 kg de pommes, 2 citrons, 100 gr. de gingembre, 1,5 kg de sucre et 5 tasses d'eau.

1. Râpez le zeste de citron, coupez-les en deux et pressez-les. Conservez écorces et pépins. Epluchez les pommes, coupez-les en quatre; ôtez le coeur et les pépins et placez-les dans un coton fromage avec les écorces, les pépins et le gingembre. Faites-en un petit sachet .Coupez les quartiers de pomme en lamelles.

2. Mettez les pommes, le zeste de citron, l'eau et le sachet dans un chaudron, faites cuire 20 mn. à feu doux.

3. Ôtez alors le sachet, ajoutez le jus de citron et le sucre, mélangez, toujours à feu doux. Lors-

que le sucre est fondu, portez à ébullition et faites cuire 25 mn. à feu vif.

4. Arrêtez la cuisson, écumez, laissez tiédir. Mélangez, mettez en pots et fermez.

CONFITURE D'ANANAS

6 pots de 500 ml.

1 ananas, 4 citrons, 1.5 kg de sucre et 3 tasses d'eau.

1. Épluchez l'ananas avec un grand couteau; coupez le fruit en quatre, retirez le coeur dur, puis coupez la chair en petits morceaux. Mettez l'ananas dans un chaudron. Rapez les citrons en zeste; coupez-les en deux et pressez-les.

2. Ajoutez l'eau, le jus et le zeste des citrons, mélangez et faites cuire 30 mn. à feu doux, jusqu'à ce que l'ananas soit tendre.

3. Versez le sucre et mélangez à feu doux.Lorsque le sucre est fondu, portez à ébullition et faites cuire 25 mn. à feu vif.

4. Retirez le chaudron du feu, écumez et laissez tiédir. Mélangez , mettez en pots et fermez.

GROSEILLES À FROID EN CONSERVE

1 pot de 1000 ml.

Groseilles fraîches, 1 1/2 tasse de sirop épais.

1. Lavez les groseilles.

2. Remplissez le pot de groseilles.

3. Rajoutez le sirop bouillant en laissant un espace de tête.

4. Stérilisez 20 mn.

CONFITURES DE CERISES

6 pots de 500 ml.

1,750 kg de cerises, 6 citrons, 1,750 kg de sucre, un bâton de cannelle, 1 c. à café de clous de girofle et 2 tasses d'eau.

1. Equeutez et dénoyautés les cerises.Conservez les noyaux.Rapez le zeste des citrons, puis coupez-les en deux et pressez-les. Enveloppez les écorces et les pépins de citron, la cannelle, les clous de girofle et les noyaux de cerises dans un coton fromage et faites-en un petit sachet.

2. Mettez les cerises, le sachet, le jus et le zeste de citron dans un chaudron, ajoutez l'eau, mélangez et faites cuire de 30 à 45 mn à feu doux.

3. Retirez le sachet, versez le sucre dans le chaudron et

mélangez. Lorsque le sucre est fondu, portez à ébullition et faites cuire de 15 à 20 minutes à feu vif.

4. Arrêtez la cuisson, écumez, laissez tiédir. Mélangez, mettez en pots, fermez.

CONFITURE DE FRAISES

6 POTS DE 500 ml.

2 kg de fraises, 3 citrons et 1.5 kg de sucre

1. Lavez les fraises, retirez les queues. Lavez les citrons, rapez-en le zeste; coupez-les en deux et pressez-les.

2. Versez le quart des fraises dans un chaudron et écrasez-les. Ajoutez le reste des fruits, le jus et le zeste des citrons, faites cuire 10 mn. à feu doux; portez à ébullition et laissez cuire 5mn. à feu doux.

3. Versez le sucre et mélangez. Lorsque le sucre est fondu, portez à nouveau à ébullition et laissez cuire 15 mn. à feu vif.

4. Arrêtez la cuisson, écumez et laissez tiédir. Mélangez, mettez en pots et fermez.

MARMELADE DE CITRONS

Pour environ 9 pots de 500 ml.

1,5 kg de citrons, 2,750 kg de sucre et 3,5 litres d'eau.

1. Coupez les citrons en deux et pressez-les. Enveloppez les pépins dans un coton-fromage et faites-en un petit sachet. Découpez les pelures en lanières étroites.

2. Mettez l'eau, le sachet, le jus et les pelures dans un chaudron, mélangez, portez à ébullition et laissez cuire 1h 30 à feu doux.

3. Ôtez le sachet, versez le sucre dans le chaudron et mélangez, toujours à feu doux. Lorsque le sucre est fondu, portez à ébullition et faites cuire 30 mn. à feu vif.

4. Retirez du feu, écumez et laissez tiédir. Mettez en pots et fermez.

MARMELADE DE PAMPLEMOUSSES

Pour environ 9 pots de 500ml.

3,5 litres d'eau, 1 kg de pamplemousses, 500g. de citrons et 2,750 de sucre.

1. Prélevez le zeste sur les agrumes. Pelez ensuite les fruits à vif et coupez-les en rondelles fines. Recueillez les peaux blanches et les pépins et enveloppez-les dans un coton fromage; faites-en un petit sachet.

2. Mettez le sachet, les rondelles et les zestes dans un chaudron, ajoutez l'eau et mélangez. Portez à ébullition et faites cuire 1 h à feu doux, jusqu'à ce que les fruits soient tendres.

3. Ôtez alors le sachet, versez le sucre et mélangez, à feu doux. Lorsque le sucre est fondu, por-

tez à ébullition et faites cuire 30 mn. à feu vif.

4. Retirez du feu, écumez et laissez tiédir. Mettez en pots et fermez.

MARMELADE DE PELURES D'ORANGE

Pour environ 9 pots de 500 ml.

2,750 kg de sucre, 2 kg d'orange, 500 g. de citrons, 350 g. de raisins secs et 3,5 litres d'eau.

1. Pelez les oranges à vif. Découpez 400 g. de pelure en lanières. Coupez les citrons en deux et pressez-les. Enveloppez les pépins dans un coton-fromage et faites-en un petit sachet. Découpez 50 g. de pelure de citron en lanières.

2. Mettez les pelures de citrons et d'oranges, le jus de citrons, le sachet et les raisins secs dans un chaudron; ajoutez l'eau et mélangez. Portez à ébullition et faites cuire 1 h 30 à feu doux, jusqu'à ce que les pelures soient tendres.

3. Ôtez le sachet, versez le sucre dans le chaudron et mélangez, à feu doux. Lorsque le sucre est fondu, portez à ébullition et laissez cuire 30 mn. à feu vif.

4. Retirez du feu, écumez et laissez tiédir. Mettez en pots et fermez.

GELÉE DE POMMES

Pour environ 4 pots de 500 ml.

2 kg de pommes, 2 citrons, 750 g. de sucre, 25 g. de gingembre, un bâton de cannelle, 1/2 c. à café de clous de girofle et 1,75 litre d'eau

1. Coupez les citrons en rondelles, coupez les pommes en quatre, ôtez les queues, le coeur et les pépins, puis coupez la pulpe en petits morceaux.

2. Mettez pommes, citrons, gingembre, cannelle et clous de girofle avec l'eau dans un chaudron. Mélangez, portez à ébullition et faites cuire de 45 à 60 mn. à feu doux, jusqu'à ce que les pommes soient réduites en purées.

3. Versez le contenu du chaudron dans un linge fin au-dessus d'un bol et laissez filtrer 2 h au moins ou, mieux, toute la nuit.

4. Renversez le jus recueilli dans un chaudron et portez à ébullition.

5. Ajoutez le sucre et mélangez à feu doux.Lorsque le sucre est fondu, portez à ébullition et laissez cuire 30 mn.

6. Retirez du feu et écumez. Mettez en pots et fermez.

GELÉE DE RHUBARBE AUX FRAISES

Pour environ 6 pots de 500 ml.

1,5 kg de rhubarbe, 500 g. de fraises, 4 oranges, 25 g. de gingembre, 1,250 kg de sucre et 6 tasses d'eau.

1. Pelez la rhubarbe pour en retirer les fils; coupez-la en tronçons de 3 cm. Coupez les oranges en rondelles. Mettez l'eau, les fruits et le gingembre dans un chaudron, mélangez, portez à ébullition et faites cuire 30 mn. à feu doux.

2. Versez le contenu du chaudron dans un linge fin au-dessus d'un bol et laissez filtrer 2 h, au moins.

3. Mettez le jus recueilli dans un chaudron et portez à ébullition à feu doux.

4. Ajoutez le sucre et mélangez. Lorsque le sucre est fondu, faites bouillir et laissez cuire 30mn. à feu vif

5. Retirez du feu et écumez. Mettez en pots et fermez.

GELÉE DE POMMES ET DE FRAMBOISES

Pour environ 8 pots de 500ml.

1 kg de pommes, 1 kg de framboises, 2 citrons, 1 kg de sucre et 6 tasses d'eau

1. Coupez les citrons en rondelles. Coupez les pommes en petits morceaux.

2. Mettez les framboises, les pommes et les citrons dans un chaudron; ajoutez l'eau et mélangez. Portez à ébullition et faites cuire de 30 mn. à 40 mn. à feu doux, jusqu'à ce que les fruits soient tendres.

3. Versez le contenu du chaudron dans un linge fin au-dessus d'un bol, sans écraser les fruits, et laissez filtrer 2 h au moins ou, mieux, toute la nuit.

4. Mettez le jus recueilli dans un chaudron et portez à ébullition.

5. Ajoutez le sucre et mélangez à feu doux. Lorsque le sucre est fondu, portez à ébullition et faites cuire de 20 à 30 mn. à feu vif.

6. Retirez du feu et écumez. Mettez en pots et fermez.

GELÉE FRAISE-GROSEILLE

Pour environ 4 pots de 500 ml.

1 kg de fraises, 1 kg de groseilles, 1 kg de sucre et 6 tasses d'eau

1. Lavez les groseilles, égouttez-les et mettez-les dans un chaudron avec l'eau, portez à ébullition et laissez cuire 15 mn à feu doux.

2. Lavez les fraises, égouttez-les et retirez les queues. Versez-les dans le chaudron après la première cuisson des groseilles. Faites cuire 15 mn., toujours à feu doux.

3. Versez le contenu dans un linge au-dessus d'un bol, sans écraser les fruits, et laissez filtrer 2 h au moins ou, mieux, toute la nuit.

4. Mettez le jus dans le chaudron et portez à ébullition.

5. Ajoutez alors le sucre et mélangez à feu doux. Lorsque le sucre est fondu, portez à ébullition et laissez cuire 30 mn. à feu vif

6. Retirez du feu et écumez. Mettez en pots et fermez.

GELÉE DE BLEUETS

Pour environ 4 pots de 500 ml.

1 kg de bleuets, 4 oranges, 1 kg de sucre, 1 baton de cannelle, 1/2 c, à café de clous de girofle, 1/2 c. à café de grains de piments de Jamaique et de 1,75 litre d'eau.

1. Lavez les fruits. Coupez les oranges en rondelles. Mettez les fruits dans un chaudron avec l'eau et les épices; mélangez. Portez à ébullition et faites cuire 45 mn. à feu doux.

2. Versez le contenu du chaudron dans un linge fin au-dessus d'un bol et laissez filtrer 2 h au moins.

3. Mesurez la quantité de jus recueilli pour évaluer le poids de sucre nécessaire. Renversez le jus dans le chaudron et portez à ébullition à feu doux.

4. Ajoutez le sucre et mélangez. Lorsque le sucre est fondu, faites bouillir et laissez cuire 25 mn. à feu vif. Arrêtez la cuisson, écumez. Mettez en pots, fermez.

TABLE DES MATIÈRES